Texte : **Sophie Rondeau** • Illustrations : **Louise-Andrée Laliberté**

Papa a peur des monstres

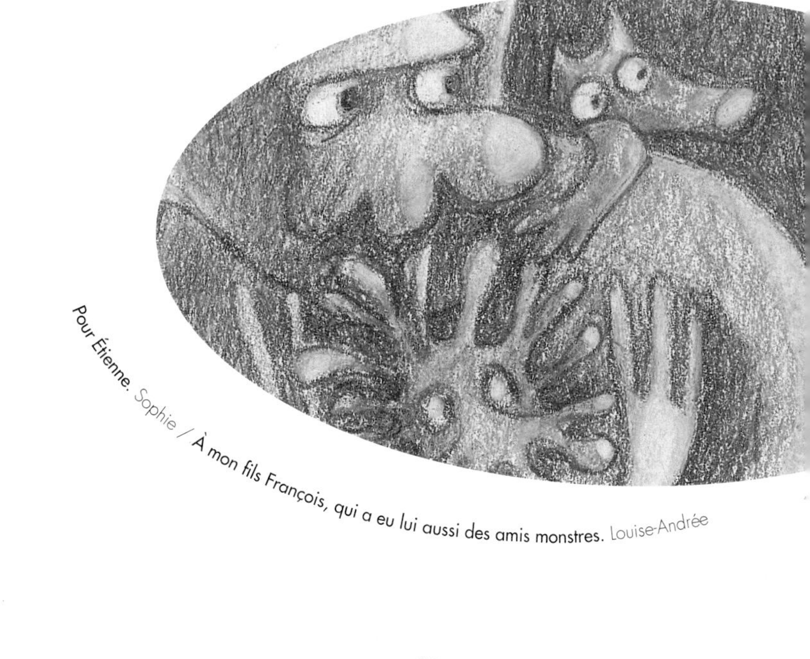

Pour Étienne. Sophie / À mon fils François, qui a eu lui aussi des amis monstres. Louise-Andrée

imagine

Je suis seul dans mon lit et j’ai peur. Très peur.
J’ai peur... des monstres ! Tous les soirs, mon papa
me répète que les monstres n’existent pas.
Mais moi, je ne le crois pas. Je pense plutôt
que papa a peur des monstres, lui aussi.

La preuve que papa a peur des monstres,
c'est qu'il ne dort jamais seul.
Il dort toujours dans le même lit que maman.
C'est injuste !

Une autre preuve que papa a peur des monstres, c'est qu'il suspend toujours son peignoir derrière la porte de sa chambre pour que les monstres s'imaginent que papa les surveille.

Une autre preuve que papa a peur
des monstres, c'est qu'il mange des aliments
qui sentent mauvais, par exemple de l'ail,
des oignons ou des fromages qui puent. Pouah !
Les monstres sont tellement dégoûtés
qu'ils n'ont aucune envie de le croquer.

Une autre preuve encore que papa a peur
des monstres, c'est qu'il ronfle très fort.
Il est plus bruyant qu'un troupeau d'éléphants !
Alors, bien sûr, les monstres se sauvent en tremblant.

Mais je me trompe peut-être...
Mon papa est beaucoup trop fort et courageux
pour avoir peur des monstres. Alors...
Se pourrait-il qu'il soit leur ami ?
Oui, c'est sûrement ça !

La preuve que papa est l'ami des monstres,
c'est qu'il leur prête ses pantoufles !
Chaque soir, il les dépose près de son lit,
pour que les monstres puissent se réchauffer
les pieds quand ils viennent le visiter.

Une autre preuve que papa
est l'ami des monstres, c'est qu'il leur prépare
de gros pique-niques. Pendant que maman fait dodo,
papa dévalise le garde-manger avec ses copains, la nuit.
C'est pour ça que j'entends des craquements
et toutes sortes de bruits inquiétants.

Une autre preuve que papa est l'ami des monstres, c'est qu'il réussit toujours les grimaces les plus effrayantes. C'est sûrement les monstres qui lui ont appris à grimacer si bien. J'ai beau pratiquer, papa gagne tous les concours.

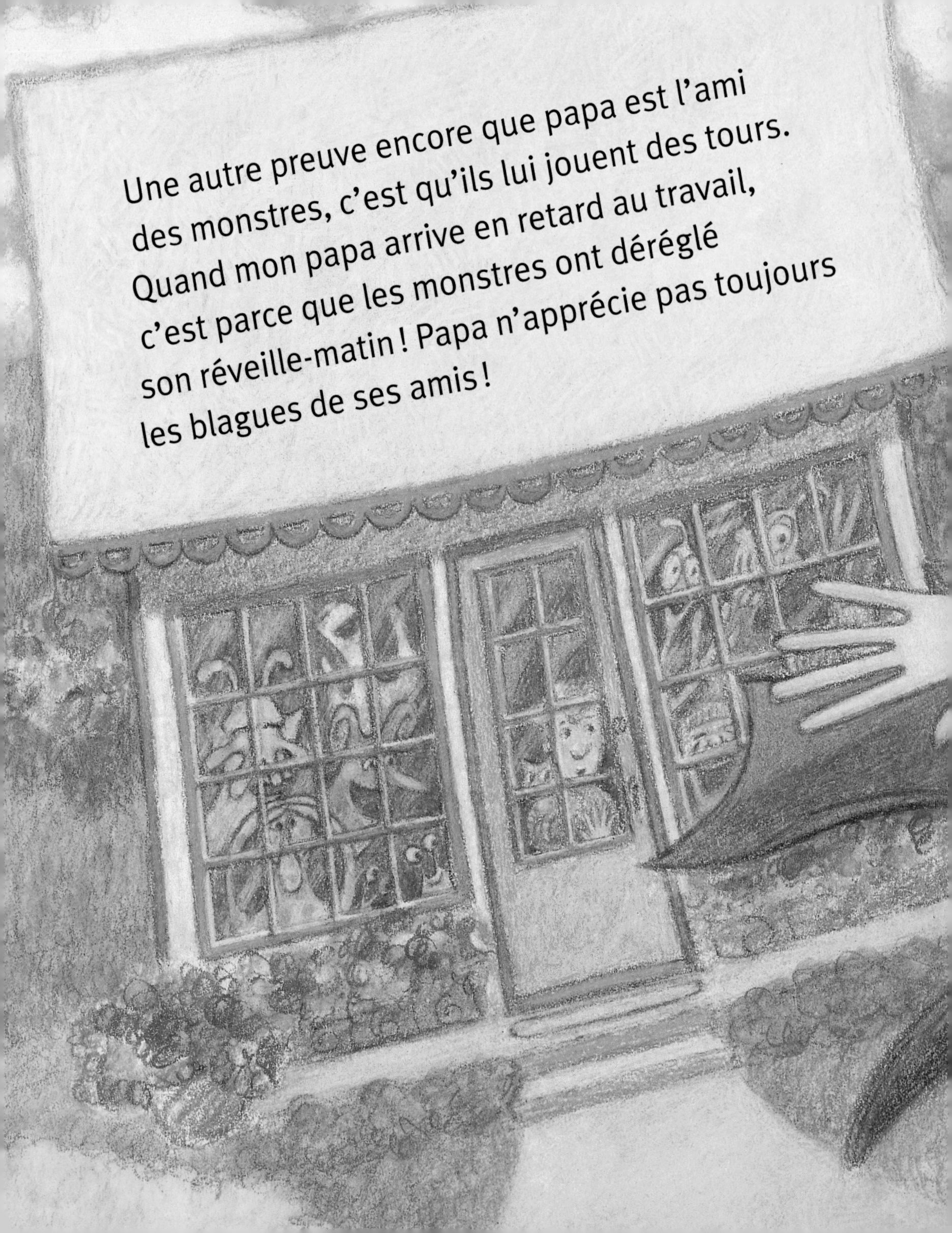

Une autre preuve encore que papa est l'ami des monstres, c'est qu'ils lui jouent des tours. Quand mon papa arrive en retard au travail, c'est parce que les monstres ont déréglé son réveille-matin ! Papa n'apprécie pas toujours les blagues de ses amis !

Mais alors...
Si papa est l'ami des monstres,
pourquoi dort-il avec maman ? Ah oui !
J'ai trouvé ! Quand ses amis monstres viennent
le visiter, papa leur fait une petite place dans son lit...
et il demande à maman de raconter une histoire
à tout le monde !

Catalogage avant publication
de Bibliothèque et Archives nationales du Québec
et Bibliothèque et Archives Canada

Rondeau, Sophie, 1977-
Papa a peur des monstres
(Mes premières histoires)
Pour enfants de 3 à 5 ans.
ISBN 978-2-89608-075-5

I. Laliberté, Louise-Andrée. II. Titre. III.
Collection : Mes premières histoires (Éditions Imagine).

PS8635.O52P36 2009
jC843'.6 C2009-940610-1
PS9635.O52P36 2009

Graphisme : David Design

Dépôt légal : 2009
Bibliothèque nationale du Québec
Bibliothèque nationale du Canada

Les éditions Imagine
4446, boul. Saint-Laurent, 7e étage
Montréal (Québec) H2W 1Z5
Courriel : info@editionsimagine.com
Site Internet : www.editionsimagine.com

Tous nos livres sont imprimés au Québec.
10 9 8 7 6 5 4 3 2 1

Gouvernement du Québec – Programme de crédit d'impôt pour
l'édition de livres – Gestion SODEC

Nous reconnaissons l'aide financière du gouvernement
du Canada par l'entremise du Programme d'aide
au développement de l'industrie de l'édition (PADIÉ)
pour nos activités d'édition.

Nous remercions le Conseil des Arts du Canada de l'aide
accordée à notre programme de publication.

Programme d'aide aux entreprises du livre et de l'édition
spécialisée de la SODEC